D1062196

Nous remercions la SODEC
et le Conseil des Arts du Canada
de l'aide accordée à notre programme de publication
ainsi que le gouvernement du Québec
– Programme de crédit d'impôt
pour l'édition de livres
– Gestion SODEC.

Nous reconnaissons l'aide financière
du gouvernement du Canada
par l'entremise du Fonds du livre du Canada
pour nos activités d'édition.

Illustrations de Caroline Merola

Maquette et montage de la couverture : Grafikar

Montage des pages intérieures : Guylaine Normand pour
Claude Bergeron

**Membre de l'Association nationale des éditeurs de livres**

Financé par le gouvernement du Canada
Funded by the government of Canada

Dépôt légal : 1er trimestre 2017
Bibliothèque et Archives Canada
Bibliothèque nationale du Québec
234567890 IML 0987
Copyright Ottawa, Canada, 2017
Éditions Pierre Tisseyre inc.
ISBN : 978-2-89633-365-3
11687

# D'où viens-tu, Aya?

**DU MÊME AUTEUR**
**AUX ÉDITIONS PIERRE TISSEYRE**

**Dans la collection Sésame:**

*Thomas et les mots magiques*, 2013.
*Marie-Belle, Un jour à l'endroit un jour à l'envers*, 2014.
*Lili et son petit géant*, 2015.

**Catalogage avant publication de Bibliothèque et Archives nationales du Québec et Bibliothèque et Archives Canada**

Charland, Danielle, 1958-

    D'où viens-tu, Aya ?

    (Collection Sésame ; 150)
    Pour les jeunes.

    ISBN 978-2-89633-365-3

    I. Titre. II. Collection: Collection Sésame ; 150.
    PS8605.H368D3 2017     jC843'.6     C2016-942503-7
    PS9605.H368D3 2017

## DANIELLE CHARLAND

# D'où viens-tu, Aya?

## Roman

**ÉDITIONS**
**PIERRE TISSEYRE**
**w w w . t i s s e y r e . c a**

155, rue Maurice
Rosemère (Québec) J7A 2S8
Téléphone: 514 335-0777 – Télécopieur: 514 335-6723
info@edtisseyre.ca

# Chapitre 1

## LA NOUVELLE VOISINE

**R**osaline profite des derniers jours des vacances de Noël pour faire la grasse matinée. *Que vais-je faire aujourd'hui?* se demande-t-elle. *Théo est chez ses grands-parents et ne revient que demain.* Évidemment, Rosaline s'ennuie de son meilleur ami. Elle a vraiment hâte de le revoir.

Soudain, un bruit inhabituel venant de l'extérieur la fait sursauter. Vite, elle bondit du lit et se rend à la fenêtre de sa chambre. De l'autre côté de la rue, dans l'entrée d'une maison à louer, elle découvre une auto à laquelle est attachée une remorque. Des gens en sortent quelques meubles.

*Ce sont sans doute nos futurs voisins*, songe-t-elle. En effet, la maison d'en face est inhabitée depuis l'été dernier. Curieuse, Rosaline tend le cou pour mieux observer le va-et-vient autour de la remorque. Peu à peu, celle-ci se vide de son léger contenu. Puis Rosaline aperçoit une fillette de son âge, qui grimpe l'escalier du perron.

En voilà une surprise! Rosaline décide de faire rapidement sa toilette pour courir à la rencontre de la nouvelle venue.

Alors que la fillette se précipite vers la salle de bains, sa mère lui lance de la cuisine :

— Bonjour, ma Rosalinette, ai-je droit à un câlin ce matin ?

Rosaline sort dans le corridor, la bouche déjà pleine de dentifrice.

— Maman! *Fiens foir*, on a des *noufeaux foisins*!

— Calme-toi! répond maman en rejoignant sa fille dans le passage. Tu peux prendre le temps de rincer ta bouche et de déjeuner. Ils ne déménagent pas, ils emménagent!

Au bout d'un moment, sous le regard amusé de sa mère, Rosaline mange avec avidité. La petite rousse aux cheveux bouclés, au visage parsemé de taches de rousseur et aux grands yeux verts en est déjà à sa troisième tartine.

— Je reconnais bien ma petite ogresse, la taquine maman.

— C'est que… je suis pressée. J'ai aperçu une petite fille de mon âge, de l'autre côté de la rue. Peut-être voudra-t-elle jouer avec moi?

Cela dit, sans attendre la réponse de sa mère et sans même essuyer la confiture sur le bout de son nez, Rosaline se lève de table pour enfiler sa tuque et ses mitaines dans l'entrée avant de sortir.

# Chapitre 2

## UN LOINTAIN PAYS

**D**ehors, de gros flocons duveteux emplissent le ciel. Rosaline tire la langue et essaie d'en attraper quelques-uns.

En face, la nouvelle voisine est assise dans l'escalier de son perron. Sans un mot, elle observe Rosaline qui aussitôt va vers elle en lui souriant.

— Bonjour ! Je m'appelle Rosaline, et toi ?

Deux grands yeux très noirs fixent la rouquine. Jamais Rosaline n'en a vu d'aussi foncés et d'aussi tristes… Leurs cils sont si longs que de gros flocons s'y accrochent.

— Quel est ton nom? demande encore Rosaline.

La fillette aux cheveux aussi noirs que ses yeux se lève rapidement et rentre chez elle sans dire un mot.

Déçue, Rosaline retourne à la maison.

* * *

— Ta rencontre n'a pas été bien longue, fait remarquer maman en aidant Rosaline à se déshabiller.

— J'ai juste eu le temps de lui dire mon nom et puis… et puis, la petite nouvelle s'est

carrément sauvée, avoue
Rosaline tristement.

Maman esquisse une moue
désolée, puis explique :

— Peut-être est-elle timide ?
J'ai entendu dire que ceux qui ont
loué cette maison viennent de
très loin. D'un autre pays, sur un
autre continent. Ils commencent

une nouvelle vie ici et ce n'est sûrement pas facile.

— Mais, pourquoi, maman? Je n'aimerais pas qu'on déménage dans un autre pays, loin de chez nous.

— Eh bien, tous n'ont pas notre chance, ma Rosalinette... Dans certains pays, il y a la guerre et les gens doivent quitter leur foyer pour toujours.

— La guerre! Avec les fusils, le feu et les bombes. Mais c'est horrible!

— Oui, et c'est pour cette raison que des gens qu'on appelle des réfugiés viennent s'établir ici. Pour ne plus avoir peur et être en sécurité.

— J'aimerais tellement m'amuser avec notre nouvelle voisine... Cela l'aiderait peut-être à oublier la guerre.

— Je reconnais ton grand cœur, ma puce. Mais tu dois lui laisser un peu de temps. Elle a beaucoup de choses à apprendre. De plus, elle ne parle pas notre langue.

— Mouais... Ça complique l'affaire... Mais je trouverai un moyen de m'entendre avec elle, conclut la rouquine en retrouvant son beau sourire.

# Chapitre 3

## La partie de hockey

Ce matin, la sonnette retentit de bonne heure. De sa chambre, Rosaline entend sa mère qui va ouvrir.

— Bonjour, Théo! Ma cocotte sera contente de te voir. Tu lui as beaucoup manqué. Entre!

La rouquine repousse ses couvertures et court jusqu'à l'entrée. Théo est de retour!

De plus, il est venu avec sa chienne Roxy. L'animal saute sur la fillette dont il lèche la figure.

— Allô, ma belle Roxy! Comme tu es grosse! Tu as mangé trop de tourtière pendant les Fêtes, dit Rosaline en riant et en flattant la fidèle bête.

— Voyons, Rosaline, Roxy n'a pas mangé de tourtière! As-tu oublié qu'elle attend des chiots? Ce sont eux qui ont grossi dans son ventre! proteste Théo.

— Je sais bien, gros bêta! Je blaguais, c'est tout! Mais, dis-moi, pourquoi est-elle en laisse?

— Je n'ai pas le choix. Ces derniers temps, elle joue à se sauver, répond le garçon. Vite! Habille-toi, Rosaline. On va jouer dehors et je vais essayer mon nouveau bâton de hockey!

Cette idée enchante la gamine.

— Mes filets sont près de la clôture. Installe-les. Moi, je prends mon équipement et je te rejoins.

*  *  *

Sur la rue, les deux amis s'échangent joyeusement la rondelle sous le regard piteux de Roxy, attachée à un arbre. Rosaline lève un instant le regard et voit la fillette aux grands yeux noirs qui les observe depuis une fenêtre de sa demeure. Rosaline lui sourit et lui envoie la main.

Surpris, Théo demande :

— Qu'est-ce que tu fais?

— Regarde à la fenêtre, c'est notre nouvelle voisine, explique Rosaline en pointant du doigt la maison.

— Est-ce qu'elle aime jouer au hockey? s'informe le garçon

— Je ne sais pas, Théo... Elle vient d'un autre pays et ne parle pas notre langue. J'ignore si on joue au hockey chez elle..., dit Rosaline pensive.

— Peu importe. Les règles ne sont pas très compliquées. Il suffit de faire entrer la rondelle dans le filet, explique Théo.

— Tu as raison!

Sur ces paroles, la rouquine fait un grand geste de la main pour inviter la fillette aux yeux noirs à se joindre à l'équipe. Cette dernière quitte la fenêtre. Quelques minutes plus tard, elle sort et traverse timidement la rue.

Rosaline lui sourit. Puis, en plaquant une main contre

sa poitrine, elle articule très lentement :

— Ro-sa-li-ne… Je m'appelle Ro-sa-li-ne !

La fillette aux longs cils fait de même et murmure :

— Aya…

Rosaline désigne alors son ami.

— Thé-o.

Ensuite, la rouquine mène Aya auprès de Roxy. Rosaline prend délicatement les mains d'Aya et les présente à la chienne pour qu'elle les renifle. Théo s'approche et dit à l'attention d'Aya :

— Ro-xy.

Fière d'avoir un peu d'attention, la chienne jappe joyeusement. Aya la flatte doucement et se met à lui parler tout bas.

— *'ant jamila…*

Ces mots étrangers sonnent bizarrement aux oreilles des deux amis d'enfance qui se dévisagent en se demandant ce qu'Aya a voulu dire. Curieusement, la chienne, elle, semble avoir tout compris et se laisse flatter par la nouvelle venue. D'ailleurs, Aya finit par enlacer l'animal en répétant amoureusement :

— *Hagfa ! Hagfa …*

Théo fait non de la tête et corrige Aya un peu sèchement :

— Ro-xy !

— Gros bêta, rigole Rosaline. Elle veut sans doute nous parler d'un chien qu'elle a déjà eu et qui ressemblait à Roxy. Un chien qui se nommait Hagfa.

Théo hausse les épaules et retourne au milieu de la rue. Il a bien l'intention de poursuivre sa partie de hockey.

— Aya, regarde ça!

Il prend son bâton, se met à courir, exécute quelques jeux de mains et pousse la rondelle dans le filet.

Comme Aya ne réagit pas, Rosaline recommence la démonstration, mais plus lentement.

— Ho-ckey… Ron-del-le, claironne la rouquine en présentant l'équipement à Aya.

Celle-ci finit par tenter le coup. Cependant, son jeu est maladroit et elle manque le filet pourtant désert.

— Elle n'est vraiment pas douée! s'exclame Théo.

— Donne-lui une chance, rétorque Rosaline, contrariée. C'est la première fois qu'elle joue.

Aussitôt, la tristesse revient dans les beaux yeux d'Aya qui ressent la boutade de Théo. Elle caresse Roxy et s'en retourne chez elle.

— BRAVO, Théo! lance Rosaline d'un ton fâché. Je préfère aussi rentrer chez moi. Tu n'es pas assez aimable.

— Ben quoi! Qu'est-ce que j'ai fait?

— De la peine, tu lui as fait de la peine!

— De la peine…, marmonne-t-il entre ses dents.

Il détache sa chienne et s'en va en rouspétant.

— Pas ma faute si cette Aya est nulle au hockey. Faudra bien qu'elle apprenne à jouer, c'est notre sport national après tout.

# Chapitre 4

## LA DISPARITION

**A**ujourd'hui, Rosaline a bien l'intention de réparer la bêtise de son ami. Elle installe donc ses filets dans la rue et sort son équipement de hockey.

En montant l'escalier qui la mène chez Aya, elle voit Théo au milieu de la rue, courant à sa rencontre.

— Rosaline! Rosaline! Roxy a encore fugué! Mon frère n'avait pas bien fermé la clôture... On la cherche partout!

La fillette dévale les marches.

— Je viens avec toi!

— Mes parents sillonnent déjà le quartier en voiture. Ils m'ont suggéré de vérifier les alentours à pied, résume le garçon hors d'haleine.

Rosaline lui prend la main et les recherches commencent...

* * *

Les deux amis fouillent les rues, les cours et cognent aux portes. Personne n'a vu Roxy. Le jour tombe et l'énergie vient à manquer aux enfants. Théo est découragé.

— Pauvre Roxy... Elle devra passer la nuit dehors, soupire-t-il tristement.

— Ne t'en fais pas. Roxy a du flair, elle reviendra, le console Rosaline.

— Je sais, mais elle attend des chiots. Elle est fragile et devrait être au chaud à la maison avec moi…

* * *

La voiture de la mère de Théo ralentit et s'approche du duo épuisé par sa longue marche. La vitre du conducteur s'abaisse :

— Rosaline, tu dois rentrer, ta maman te cherche. Monte, je vais te raccompagner. Théo, son père et moi allons aussi rentrer à la maison. Nous ferons des affiches avec la photo de Roxy. Puis, nous les installerons un peu partout. Je suis certaine que nous la retrouverons bientôt, dit la maman du garçon.

Ce soir-là, Roxy n'est pas rentrée. Mais partout dans le quartier, le papa de Théo a collé sa photo.

*Je m'appelle Roxy.*
*Je suis une adorable chienne de quatre ans.*
*Je suis douce et calme, mais*
*malheureusement un peu vagabonde…*
*Je suis très gourmande et j'aime*
*particulièrement les pantoufles*
*et les souliers.*
*Si vous me retrouvez, ATTENTION à vos*
*chaussures et contactez Théo.*
*Il est inconsolable et ne peut s'endormir*
*sans moi blottie à ses pieds.*
**123-456-7893**
***RÉCOMPENSE PROMISE!***
*Délicieux beignes confectionnés par*
*ma maman!*

# Chapitre 5

## LA PATINOIRE

**L**e lendemain, Rosaline se rend très tôt chez son copain afin de prendre des nouvelles de Roxy. Malheureusement, la chienne n'est pas revenue et Théo est très triste.

— En attendant Roxy, tu pourrais m'accompagner à la patinoire. Ça te changerait les idées, suggère la rouquine.

— Non, je préfère rester à la maison. J'ai peur de manquer l'appel de quelqu'un qui aurait retrouvé ma chienne.

— Je comprends… Mais, si tu changes d'avis, viens nous rejoindre.

— Nous ?

— Oui, je pensais proposer à Aya de venir avec moi. Je vais lui prêter mes anciens patins. Je suis certaine qu'ils lui iront. Elle est plus petite que moi.

Sans un mot, Théo raccompagne son amie à la porte.

— Amusez-vous bien, dit-il en regardant ses pieds.

* * *

Aya est à sa fenêtre. Rosaline lui sourit et lui montre ses deux paires de patins. Quelques instants plus tard, la nouvelle venue ouvre la porte et les deux fillettes se retrouvent à l'intérieur.

La maison est peu meublée, mais une délicieuse odeur embaume la cuisine.

Aya présente ses parents à Rosaline en les désignant tour à tour :

— Malika, Jad.

Malika, la maman, enveloppe quelques dattes dans une serviette et les met dans la poche d'Aya. Rosaline sort de ses propres poches les deux pommes qu'elle a apportées comme collation.

Malika sourit à Rosaline et lui passe doucement une main dans ses jolies bouclettes rousses.

— *Kunn hadhiraan.*

Rosaline ne comprend pas ce que la maman vient de dire, mais elle imagine ce que sa mère aurait dit dans la même situation :

— Je vais prendre bien soin d'Aya, ne vous inquiétez pas.

Sur le chemin qui mène les deux fillettes à la patinoire,

Rosaline se plaît à nommer tout ce qu'elle voit :

— Mai-son... Ar-bre de No-ël... Nei-ge... Au-to... Pa-tins...

Aya répète chaque mot en riant :

— Maion... Abe Noël...

* * *

Une fois leurs patins bien lacés, Rosaline soutient son amie jusqu'à la patinoire. Aya trouve l'exercice amusant même si les chutes sont nombreuses.

Puis, à la grande surprise des filles, Théo se présente finalement au parc. En patinant, il explique à Rosaline qu'il a apporté un cellulaire pour être certain de ne pas manquer un éventuel appel concernant Roxy.

Mais alors que les filles s'amusent bien, Théo demeure inquiet.

— On fait une course, Rosaline ? demande-t-il à sa meilleure amie.

— Non, pas aujourd'hui. Je montre à patiner à Aya. Regarde, elle fait de grands progrès.

— Voyons, Rosi, elle ne patine pas, elle marche !

— Au moins, elle arrive à se tenir debout, maintenant, dit la rouquine, fière de sa protégée.

Théo enfonce ses mains dans ses poches et fait la moue.

— Puisque tu es très occupée avec ta nouvelle amie, aussi bien rentrer chez moi, lance-t-il d'un ton cassant.

Rosaline n'a pas le temps de répondre au garçon, car un gros BOUM la fait sursauter : son élève vient de heurter la bande. Heureusement, Aya n'est pas blessée. Cette dernière se relève péniblement en

répétant de nouveaux mots que lui souffle Rosaline : genoux, fesses, coccyx…

— Cossix, cossix, cossix ! s'amuse-t-elle à prononcer encore et encore en se massant les reins.

Rosaline rit de voir sa nouvelle amie si contente. En effet, ce mot est rigolo !

Théo, lui, ne rit pas. Il est déjà loin.

# Chapitre 6

## Malika

**P**apa accueille sa cocotte préférée avec un délicieux bol de chocolat chaud.

— Tiens, ma Rosalinette, ça te réchauffera après tout ce temps passé dehors. Allez, raconte-moi ton avant-midi. Tu sembles bien t'entendre avec notre nouvelle petite voisine?

— Oh oui! confirme Rosaline en léchant la mignonne moustache sucrée en dessous de son nez.

— Je suis content que tu t'amuses avec Aya. Cela ne doit pas être facile d'arriver dans un nouveau pays et de ne connaître personne.

— ... et d'avoir une maman très malade.

— Sa mère est malade?

— Oui... Malika couvre sa tête comme tante Isabelle qui a perdu ses cheveux à cause du cancer.

Papa sourit, soulagé.

— Je peux te rassurer, ma puce. Je ne crois pas que... Malika soit malade. Elle couvre ses cheveux avec un voile comme beaucoup de femmes le font dans son pays, c'est tout. Là-bas, c'est comme ça.

— Vraiment ? fait la fillette avec des yeux ronds. Tant mieux, alors ! Je trouvais cela bien triste pour Aya et ses parents, car ils sont très gentils.

— Je compte sur toi pour nous les présenter, ajoute le papa de Rosaline. Il faudra juste trouver un moyen pour… communiquer.

— Moi, je trouve ça facile. Aya et moi avons parlé tout l'avant-midi. On arrive à se comprendre. Il faut juste prendre son temps …

— Eh bien… Tu seras notre interprète, ma Rosalinette !

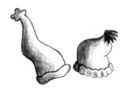

# Chapitre 7

## LA TEMPÊTE

Il a neigé toute la nuit. Dehors, le vent s'est mis de la partie et la poudrerie efface les contours des arbres et des maisons du voisinage qui menacent de devenir invisibles. *Quel temps magnifique pour faire un bonhomme de neige géant!* pense Rosaline en filant déjà vers l'entrée pour mettre son manteau.

Aya est à sa fenêtre et n'en bouge pas malgré les signes que lui adresse son amie au beau milieu de la rue. Qu'à cela ne tienne! Rosaline roule des boules, sautille et fait des anges dans la neige afin de persuader sa voisine de mettre le nez dehors.

Bientôt, Aya se laisse convaincre et entrouvre sa porte, juste assez pour y passer la tête. D'un air apeuré, elle dit:

— Rossi... Neige... Bokko neige... Foi, tè foi... BRRRR!

Rosaline comprend qu'Aya n'a jamais vu de tempête de neige! Alors, la rouquine se met à taper des mains et à sauter sur place.

— Tem-pê-te, Aya, tem-pê-te. N'aie pas peur ! C'est a-mu-sant !

À voir l'air réjoui de son amie, Aya est rassurée. Vitement, elle enfile son habit de neige et sort.

Ensemble, les fillettes roulent d'énormes boules qu'elles peinent à hisser les unes sur les autres. Puis, une fois cette tâche accomplie, elles coiffent leur bonhomme d'un chapeau et lui mettent un foulard. Elles trouvent même deux branches que le vent a brisées et en font des bras pour leur sculpture. Finalement, le bonhomme penche un peu, mais il a fière allure. Les parents d'Aya sont à la fenêtre. Ils applaudissent l'œuvre terminée.

\* \* \*

En fin d'après-midi, la panne d'électricité ne surprend

personne. Après tout, il est tombé près de cinquante centimètres de neige! C'est une tempête dont on se souviendra longtemps!

— Je vais faire un feu de foyer, la maison se refroidit rapidement, annonce papa.

Rosaline jette un regard inquiet vers la maison d'Aya où tout est noir.

— Il doit commencer à faire froid là-bas, dit-elle.

Maman, qui a tout entendu, s'écrie de la cuisine:

— Eh bien, voilà le moment de faire la connaissance de nos nouveaux voisins. Pourquoi ne pas les inviter à venir ici? Il fait chaud et nous avons amplement de nourriture à partager.

Rosaline saute de joie.

— Maman, tu es géniale, je t'adore!

# Chapitre 8

## Quelques accords de guitare

Maman a sorti sa plus jolie nappe. Elle annonce le menu:

— Petits pains au poulet, salade de légumineuses, fromages et tarte au sucre à la crème de mamie… J'espère qu'ils aimeront notre souper improvisé, s'inquiète-t-elle un peu.

Sur ce, les parents d'Aya arrivent les bras chargés de

victuailles. La table se garnit aussitôt de saveurs et d'odeurs nouvelles et alléchantes.

Les deux fillettes s'occupent des présentations. Les adultes sourient de les voir si complices. Elles échangent des signes et des mots. Elles gesticulent et finissent par très bien se comprendre. Maman et Malika décident rapidement de les imiter. Jad semble plus réservé. Pour l'instant, sa conversation se limite aux exclamations de plaisir qu'il émet en se servant une deuxième pointe de tarte au sucre à la crème.

Papa, le pouce en l'air, l'encourage et reprend des *makrout*, une délicieuse pâtisserie à base de semoule, de dattes et de pâte.

Après le repas, le père de Rosaline prend sa guitare et

décide de jouer quelques airs de son répertoire. La rouquine voit les yeux de sa mère briller. Il faut dire que maman adore quand papa chante. Bientôt, Malika et Jad fredonnent à leur tour. Puis, lorsque papa dépose sa guitare pour remettre un peu de bois dans la cheminée, Jad lui demande :

— Jad… qithara ?

— Bien sûr, bien sûr, Jad !

Papa est heureux de prêter son instrument. Alors, très habilement, Jad se met à jouer. La douce mélodie rappelle une berceuse et, au bout d'un instant, la voix cristalline de Malika se mêle aux notes. Tout le monde retient son souffle, c'est un moment magique…

Papa surprend Rosaline qui lui fait un clin d'œil. Elle semble

vouloir lui dire : « Tu vois, ce n'est pas si compliqué de se comprendre. »

# Chapitre 9

## LE RETOUR EN CLASSE

**D**e retour à l'école après les vacances, Rosaline est ravie de constater qu'Aya fait partie de son groupe. L'enseignante permet même aux fillettes d'occuper des tables voisines. Au fil des jours, Rosaline aide régulièrement Aya à compléter ses leçons et ses travaux. Ainsi, Aya fait de grands progrès en français et son vocabulaire s'enrichit. Bref, Rosaline est un excellent professeur et une véritable amie.

\* \* \*

Un avant-midi, alors qu'elles prennent une pause près de la bibliothèque de la classe, Théo s'approche des deux copines.

Rosaline est en train de faire la lecture à Aya.

— Tu lui lis des histoires de première année, constate Théo avec une drôle de grimace.

— Oui, c'est beaucoup plus facile à comprendre pour elle.

— Je me demande vraiment ce que tu trouves d'amusant à t'occuper d'elle! Aya parle comme une enfant de trois ans.

La petite nouvelle ne saisit pas toutes les paroles du garçon, mais sait très bien qu'on se moque d'elle. Les yeux noirs de la gamine sont pleins de tristesse et d'un peu de colère.

— Pourquoi es-tu si méchant? s'exclame Rosaline.

— Je pense tout simplement que ton amie est un peu... attardée.

— ATTARDÉE! Théo, tu es injuste! Puis, tu es vraiment mal placé pour la juger. Tu as repris ton année à cause de tes problèmes en lecture et le français est ta propre langue!

L'enseignante intervient et essaie de mettre fin à la dispute. Elle demande à tous de retourner à leur place.

Théo est rouge comme un coq, Aya ne dit mot et Rosaline ne décolère pas. À la fin de cette journée, la rouquine rentre à la maison en refermant la porte d'un coup sec derrière elle. Maman s'inquiète.

— Tu es de mauvaise humeur, ma Rosalinette. Veux-tu en parler?

Rosaline raconte tout à sa mère. Au fond, elle a beaucoup de peine. Elle aime son ami Théo de tout son cœur, mais ne comprend pas son attitude envers Aya. Heureusement, maman trouve les mots pour démêler tout ça.

— Ma puce, ton ami Théo vit des moments difficiles avec la disparition de Roxy.

— …

— Et… depuis l'arrivée d'Aya, avoue que tu le délaisses un peu.

— … Ouais, un peu, admet la rouquine vaguement honteuse.

— Il est juste maladroit. Il n'a pas choisi la bonne façon de te dire que tu lui manques.

— Mais je veux être l'amie de Théo et d'Aya. Comment faire ?

— Je ne suis pas inquiète, ma Rosalinette. Je sais que tu trouveras un moyen.

# Chapitre 10

## LA BATTUE

**P**apa lève les yeux de son journal de fin de semaine et demande :

— Toujours pas de nouvelles de Roxy ?

— Non, répond la rouquine. Et pas de nouvelles de Théo non plus…

— J'ai une idée, poursuit-il. Je dois aller faire réparer ma souffleuse au village. Pourquoi ne viendrais-tu pas avec moi et tes amis ? Aya, Théo et toi pourriez coller des affiches de Roxy un peu partout. Il y a un bon moment qu'elle est disparue. Elle a sûrement fait du chemin.

Papa termine à peine sa phrase que Rosaline est habillée et prête à sortir.

— Je vais chercher Théo et Aya. Je reviens dans dix minutes, mon papounet d'amour !

* * *

Les enfants ont accroché de nombreuses affiches et cogné à plusieurs portes. Roxy demeure introuvable. Papa finit par rassembler les petits dans sa voiture. Il leur offre d'aller manger des frites, mais les gamins inconsolables refusent. Désolé, papa annonce :

— Écoutez, il est tard, je fais un dernier arrêt pour mettre de l'essence et nous rentrons.

Pendant que papa s'occupe de la voiture, Théo et Rosaline sommeillent sur la banquette arrière, fatigués par leur recherche. Aya, cependant, descend de l'auto pour aller voir d'un peu plus près le magnifique sapin de Noël de la station-service. Ce dernier est énorme et ses nombreuses lumières clignotent de mille feux. De plus, à sa cime est accrochée une étoile filante avec une très longue queue. *Comme il est beau*, songe-t-elle. *J'aime l'hiver et ses lumières colorées…*

Soudain, un bruit la fait sursauter. Elle contourne le sapin et aperçoit une niche. Lentement, elle s'en approche. Un chien en sort, flairant la visite. Il est attaché à une chaîne. À la vue de l'animal, Aya se fige. Elle n'est pas certaine, mais elle croit reconnaître la chienne de Théo. *Roxy avait une tache blanche entre les deux yeux, comme ma belle Hagfa que j'ai dû laisser à nos voisins quand je suis partie… Je dois vérifier si…*

Oui! C'est bien la Roxy de Théo! Aya se met à crier:

— ROSSI! ROSSI!

La chienne avance vers Aya. Elle jappe et saute. La gamine flatte doucement l'animal pour le calmer et le rassurer.

Tous ces aboiements alertent le père de Rosaline qui arrive en courant, suivi de sa fille et de Théo.

— ROXY! ROXY! s'écrie le garçon en apercevant son chien.

La joie de Théo est belle à voir et Aya en a le cœur bouleversé. Elle ne peut s'empêcher de penser à sa propre chienne perdue...

Le garagiste rejoint l'heureux petit groupe.

— Vous connaissez cette chienne?

— C'est ma Roxy! s'exclame Théo.

Alors, le garagiste explique:

— Je l'ai trouvée devant ma porte, le matin de la tempête, quand j'ai ouvert mon garage. Depuis, elle a trouvé refuge dans cette vieille niche abandonnée. Je suis vraiment soulagé que vous l'ayez retrouvée. Elle ne veut rien manger et se contente de boire. Je crois qu'elle s'est bien ennuyée de toi, garçon!

— Merci! Merci, monsieur, d'en avoir pris bien soin, dit Théo.

— Oui, merci, répète Rosaline.

— Ce n'était pas difficile, j'adore les chiens! ajoute le garagiste.

Théo se tourne vers Aya.

— Et surtout, merci, Aya, sans toi, nous n'aurions peut-être jamais retrouvé ma chienne...

Le bonheur du garçon est contagieux. Chacun a les yeux et les joues humides, car Roxy va de l'un à l'autre en léchant tout le monde.

# Chapitre 11

## Bonjour, printemps!

La neige a fondu en laissant des rigoles le long des trottoirs. C'est signe qu'il est temps de sortir les bicyclettes. Les parents d'Aya en ont déniché une belle dans une vente de garage. Le père de Rosaline est en train d'en huiler les pièces et Jad s'occupe des pneus. Les deux fillettes attendent impatiemment la fin de la mise au point pour partir en randonnée.

En quelques mois, Aya a beaucoup appris, et pas seulement à parler français. En effet, son nouvel ami Théo s'est chargé de lui montrer les règles et les stratégies du hockey. Il a également été un excellent entraîneur de patin. Si bien qu'à la fin de l'hiver, Aya jouait au hockey sur glace. D'ailleurs, Théo a aussi promis de venir aider Aya à faire de la bicyclette. Et le voilà qui arrive, tenant son vélo d'une main et, de l'autre, un joli panier recouvert d'une petite couverture de flanelle.

— Salut, les filles ! lance-t-il joyeusement.

En apercevant le panier d'osier, Aya taquine le garçon gentiment.

— Tu fais pique-nique, Tio ?

Ce dernier se contente de sourire, de faire un clin d'œil à Rosaline et de tendre le panier à Aya.

— Pique-nique pour moi ? demande-t-elle, curieuse.

— Oui, pour toi, Aya… Juste pour toi.

Intriguée, la fillette soulève la couverture. Un adorable chiot est blotti tout au fond du panier. Un ruban bleu lui entoure le cou.

— Pour moi…, murmure Aya qui n'ose y croire alors que Rosaline trépigne de joie.

Délicatement, la fillette aux yeux noirs retire l'animal du panier pour le presser contre son cœur.

— Eh oui, les petits chiens de Roxy sont prêts à être adoptés, maintenant. Je suis certain que celui-là sera bien avec toi, déclare Théo.

Jad s'approche doucement. Il caresse une toute petite tache de poil blanc entre les yeux du chiot.

— *Kama Hagfa*, souffle-t-il, ému.

— Oui, comme Hagfa, répond sa fille.

— Dis-moi, Aya, comment l'appelleras-tu ? s'informe Rosaline en flattant la petite bête à son tour.

— Coccyx, fait-elle en souriant. C'est le premier mot que tu apprends à moi.

Les deux amies rient de bon cœur en se rappelant la leçon de patin où Aya était si souvent tombée sur les fesses.

Théo se demande si elles sont sérieuses.

— Voyons, Aya... Tu ne peux lui donner ce nom-là ! Cette petite boule de poil est bien trop mignonne !

— Je fais blague, Tio. Son nom sera Hagfa.

Ouf! Le garçon est rassuré.

Soudain, le père de Rosaline intervient en s'emparant du panier de Théo.

— Viens m'aider, Jad, dit-il. Nous installerons ce panier au vélo d'Aya. Ce sera très confortable pour Hagfa. Je suis certain qu'il aimera accompagner nos filles et Théo dans leurs futures randonnées.

* * *

Les cheveux au vent, les beaux yeux noirs d'Aya brillent de bonheur. Rosaline y voit encore de la tristesse de temps en temps, mais si peu…

La rouquine doit pédaler vivement pour rester à la hauteur de son amie.

— On fait une course jusqu'au bout de la rue? suggère Théo.

— Oui ! répondent les fillettes en chœur.

— Ouaf, ajoute Hagfa dans son panier.

*Quelle magnifique journée de printemps !* pense Rosaline.

Et ainsi, les enfants filent côte à côte vers le bout de la route, vers la promesse de l'été et de mille et une nouvelles aventures...

# Table des chapitres

Chapitre 1 :
La nouvelle voisine.............. 7
Chapitre 2 :
Un lointain pays .................... 13
Chapitre 3 :
La partie de hockey.............. 19
Chapitre 4 :
La disparition ...................... 29
Chapitre 5 :
La patinoire ......................... 33
Chapitre 6 :
Malika.................................. 41
Chapitre 7 :
La tempête............................ 45
Chapitre 8 :
Quelques accords
de guitare............................. 51
Chapitre 9 :
Le retour en classe .............. 57
Chapitre 10 :
La battue.............................. 63
Chapitre 11 :
Bonjour, printemps! ............ 71

Danielle
Charland

Danielle Charland enseigne en première année de primaire et écrit des histoires depuis qu'elle sait écrire… Elle espère plus que tout donner aux jeunes le goût de la lecture et la passion des lettres. Son premier roman, *Thomas et les mots magiques*, a été publié en 2013 aux Éditions Pierre Tisseyre, à la suite de quoi elle a publié *Marie-Belle, Un jour à l'endroit, un jour à l'envers* en 2014 ainsi que *Lili et son petit géant* en 2015. *D'où viens-tu, Aya* est son quatrième ouvrage aux Éditions Pierre Tisseyre.